rim sim raas

Frank Smulders
tekeningen van Leo Timmers

Zwijsen

sim

vaas.

vis.

rim sim raas …

vaas.

rim vim ris …

vis.

rim sim saam ...

raam.

rim vim raar …

saar.

rim sim mis ...

sis.

rim vim saas ...

maas.

rim sim aar ...

vaar maar.
vaar.

Serie 1 • bij kern 1 van Veilig leren lezen